COLORING WITHOUT BORDERS

A collaborative coloring book
to benefit
Families belong together

Contributions by artists from all over the world

Curated by
Jennifer Sofio Hall

**FAMILIES
◄BELONG►
TOGETHER**

Si realmente examináramos las palabras, tendríamos todas las respuestas.

Borders (Fronteras).
El término en sí mismo representa el rechazo de los límites y delimitaciones.
La etimología de la palabra "borders" incorpora una mezcla de palabras que
descienden parcialmente del germánico, un poco del francés y algo del inglés antiguo.

Borders.
Según los italianos, "bordo" era, y sigue siendo, un filo ornamental a lo largo de la
orilla de una prenda, o una franja de color que representa a un grupo específico,
ya sea un equipo o una comunidad. Las fronteras no son más que coloridos
emblemas de una gran comunidad llamada humanidad. La delimitaciones son
sólo convenciones que no deben obtener otro propósito que celebrar las identidades
culturales que conforman la humanidad, sus diferentes colores.

Celebremos esta diversidad coloreando sobre las fronteras.

If we were to really look at words, we would find all the answers.

Borders.
The term itself represents the refusal of boundaries, the rejection of the setting
of limits. The etymology of the word "borders" incorporates a blend of words that
come to us partially from German, some French, and some Old English.

Borders.
According to Italians, "bordo" was—and still is—an ornamental border along the
edge of a garment. Or a thick colored stripe that represents a specific group, a team,
or a community. Borders are nothing but colorful symbols of the great community
called humanity, the setting of limitations is just a convention that should serve a
single purpose—the celebration of the cultural identities that humanity is made of
in all of its different colors.

May we celebrate this diversity by coloring over the borders.

—ALFONSO CUARÓN

THIS BOOK BELONGS TO

Elyse Doherty

ESTE LIBRO PERTENECE A

FAMILIES BELONG TOGETHER

Families Belong Together includes nearly 250 organizations representing Americans from all backgrounds who have joined together to fight family separation and promote dignity, unity, and compassion for all children and families.

Led by the National Domestic Workers Alliance, Women's Refugee Commission, MomsRising, FWD.us, United We Dream, People's Action, ACLU, Leadership Conference on Civil and Human Rights, MoveOn and others, the coalition has raised millions of dollars for immigrant children and families, mobilized hundreds of thousands of people in all 50 states to take action, and helped to reunite thousands of families.

Families Belong Together continues its work to permanently end family separation and incarceration, seek accountability for the harm that's been done, and immediately reunite all families who remain torn apart.

Families Belong Together está conformada por casi 250 organizaciones que representan a estadounidenses de todo orígen que se han unido para luchar contra la separación de las familias y para fomentar la dignidad, la unidad y la compasión por los niños y sus familias.

La coalición ha recaudado millones de dólares para los niños inmigrantes y sus familias, ha movilizado a centenares de miles de personas en todos los 50 estados y ha ayudado a reunir a miles de familias bajo el liderazgo de la Alianza de Trabajadores Domésticos, la Comisión de Mujeres Refugiadas, MomsRising, FWD.us, Unidos Soñamos, Acción del Pueblo, ACLU, La Conferencia de Liderazgo sobre los Derechos Civiles y Humanos, MoveOn y otras.

Families Belong Together sigue adelante con su labor de ponerle fin permanentemente a la separación y encarcelamiento de las familias, de lograr que se asuma responsabilidad y rendición de cuentas por los daños causados, y de volver a unir inmediatamente a todas las familias que aún están separadas.

FOREWORD

Si le das un lápiz de color a un niño, el va a saber qué hacer. Colorear.

Si le das a un niño un lápiz de color en cualquier comunidad, en cualquier país, no importa el idioma que hablen, va a colorear con sus amigos, dibujar garabatos rojos, azules y amarillos en el papel, en los libros, e inevitablemente, en las paredes. En las paredes, siempre.

La separación de las familias en la frontera ha confrontado a este país con una crisis moral y un punto de decisión. ¿Quienes somos nosotros para justificar el arrancar a los niños de los brazos de sus padres, que han arriesgado sus propias vidas para traer a sus hijos a un lugar seguro y con oportunidades? Y ¿quiénes somos como para encerrar a los niños en jaulas o campos de internación?

La respuesta a esta crisis moral nos ha avasallado. Nos ha unido de formas inéditas. Ha fortalecido nuestra esencia misma, las creencias que compartimos: que los niños deben tener la libertad de ser niños y que las familias deben estar unidas.

Los niños nos enseñan. Nos desafían y nos hacen recordar por qué tenemos ciertas normas, por qué vivimos como vivimos. Empiezan desde un lugar en el que no existe la jerarquía del valor humano ni la dinámica del poder que define nuestras realidades. Ellos todavía no ven los bordes que hemos trazado. Todavía no colorean dentro de las líneas.

Cuando compartas "Coloring Without Borders" (Colorear sin Fronteras) con tus pequeños, mira cómo colorean las páginas. Observa cómo usan el espacio que estos artistas han hecho para crear algo aun mas bello, valiéndose de la inspiración para sacar a relucir su imaginación y creatividad.

Y si todavía son tan pequeños que no ven las líneas como bordes delimitantes, maravíllate con su candor. Observa cómo extienden los colores en todo el ancho de las páginas, no porque no sepan dónde va el color, sino porque el color va en todas partes. Observa cómo mezclan los colores para revelar la belleza que surge sólo cuando se combinan. Y cuando naturalmente lleven sus lápices de colores a las paredes, comprende que para ellos, el mundo del color y la belleza no termina en el borde del papel.

Ellos colorean sin fronteras, y podemos aprender mucho de ellos.

Hand a young child a crayon and they know what to do. They color.

Hand a child a crayon in any community, any nation, no matter what language they speak, and they will color with their friends, scrawling red, blue and yellow across paper, scribbling over books and, inevitably, on walls. Always on the walls.

The separation of families at the border quickly presented this country with a moral crisis and choice point. Who are we, that we can justify tearing children from the arms of their parents, who have risked their very lives to bring their children to safety and opportunity? Who are we that we would put children in cages or internment camps at all?

The response to this moral crisis has been overwhelming. It has brought us together in unprecedented ways. It has affirmed our core, shared beliefs: children should be free to be children and families belong together.

Children teach us. They challenge us to think about why we have certain rules, why we live the way we do. They start from a place free of a hierarchy of human value, free of the power dynamics that define our realities. They don't yet see the borders that we have drawn. They don't yet color inside the lines.

As you share *Coloring Without Borders* with the little ones in your life, watch how they color the pages. Watch as they use the space that these artists have created to create something more beautiful, using the inspiration to draw out their imagination and creativity.

And if they are still young enough not to see the lines as borders, marvel at their openness. Watch as they spread color across every page not because they don't know where the color belongs, but because it belongs *everywhere*. Watch them bring the colors together to reveal the beauty that only emerges when they are combined. And when they naturally take their crayon to the walls, understand that for them, the world of color and beauty doesn't end with the edge of a page.

They're coloring without borders and there is much we can learn from them.

—AI-JEN POO
American Activist, co-chair of Families Belong Together Coalition, director of the National Domestic Workers Alliance, co-director of Caring Across Generations, and 2014 recipient of the MacArthur Genius Award

¡Todos los pájaros están volando fuera de la jaula!

All the birds are flying out of the cage!

Christia
Robinse

Peace

WHAT DO YOU SEE IN THE STARS?

¿QUÉ VES EN LAS ESTRELLAS?

These bees need flowers to make honey!

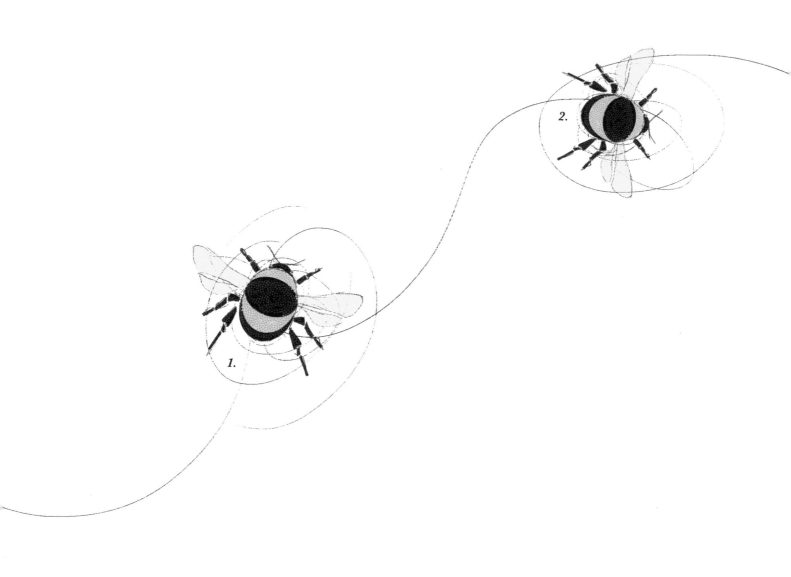

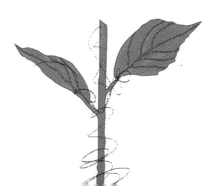

¡*Estas abejas necesitan flores para hacer miel!*

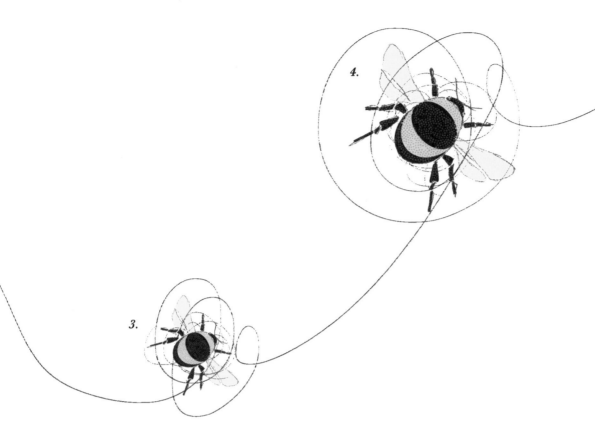

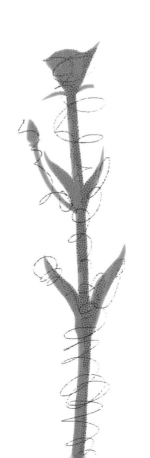

WHO ELSE is Joining THE DINNER PARTY?

¿Quién MÁS se une
A LA CenA?

MOTH

What do you see?
¿Qué ves?

Give Dave more tattoos
Ponle a Dave más tatuajes

Tim Ruffle.

SPOT WANTS TO PLAY! DRAW SOME PALS!

¡SPOT QUIERE JUGAR! ¡DIBÚJALE UNOS AMIGOS!

Es la temporada de las bayas
y estos dos osos están buscando
algo para desayunar.

¡Agrega tantas bayas
como puedas!

It's Berry Season and these two Bears
are looking for some breakfast.

Add as many berries as you can!

Steve Small

What animals live on this farm?
¿Qué animales viven en esta granja?

MAKE FURRY FRIENDS!

¡HAZ AMIGOS PELUDOS!

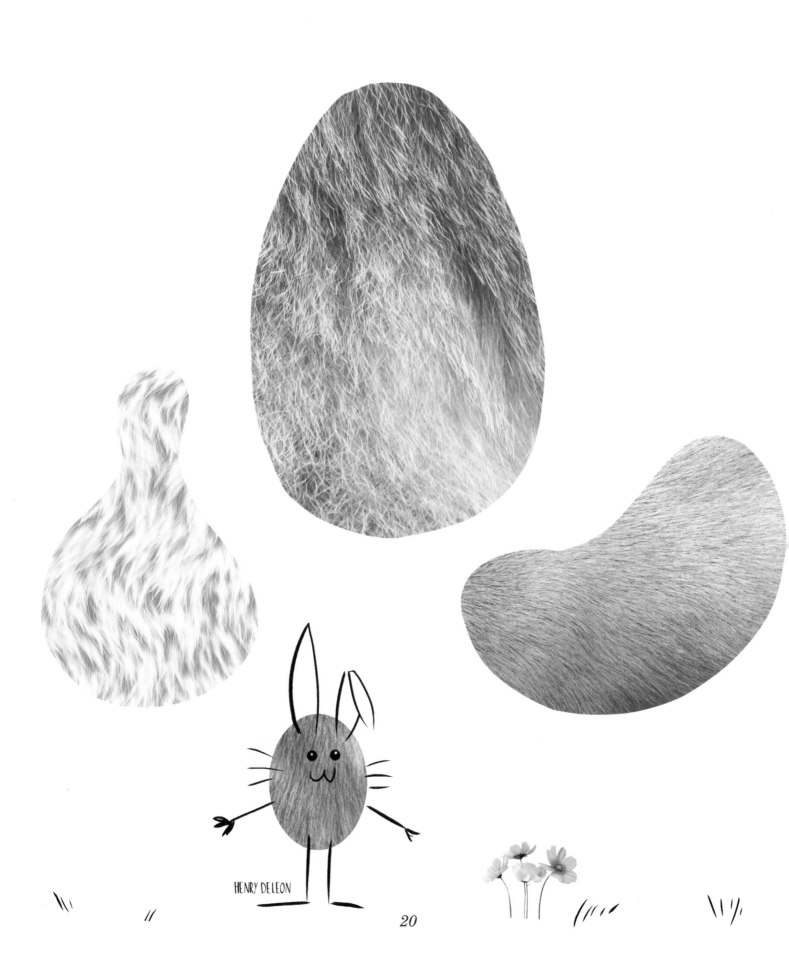

HENRY DELEON

Help the mini chefs finish decorating the cake!
¡Ayuda a los mini chefs a terminar de decorar el pastel!

Bonnie Forsyth

Este tigre necesita algunas rayas.
¿Quieres camuflarla o hacerla destacar?

This tiger needs some stripes.

Will you make her blend in or stand out?

Can you help me draw a portrait of you?

¿Puedes ayudarme a hacer un retrato?

Who's riding the unicorns?
¿Quién monta los unicornios?

Bonnie Forsyth

LET'S GO FLY A KITE!

HENRY DELEON

¡VAMOS A VOLAR UNA COMETA!

WHAT'S IN THE WHALE'S TUMMY?

¿QUÉ HAY EN LA BARRIGA DE LA BALLENA?

Who is fighting the Dragon?
¿Quién está luchando contra el dragón?

Bonnie Forsy

GIVE THIS LION A MANE HE DESERVES!
DALE A ESTE LEÓN LA MELENA QUE SE MERECE!

MTR/18

Build a treehouse

What is Charlie dreaming about?

DK '18

¿Qué está soñando Charlie?

What is the dog DREAMING about?

¿Qué está SOÑANDO el perro?

¡Estas macetas necesitan pelo y caras locas! ¡Dibuja tu mejor "cabello" para las plantas!

These pots need some crazy hair and faces! Draw your best plant "hair"!

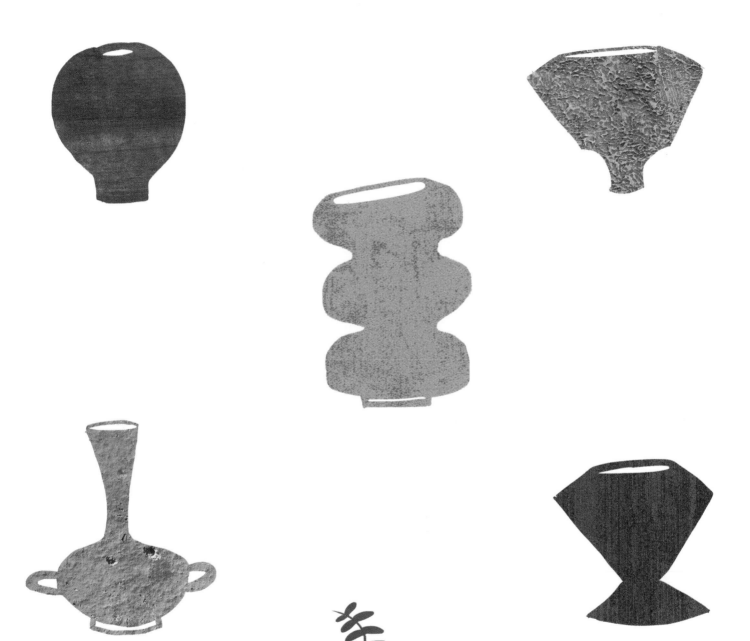

By: Giovana Pham

WHAT IS GEORGE CHASING?

CHRIS HAUGHTON

¿QUÉ ESTÁ PERSIGUIENDO GEORGE?

COMPLETA ESTA CIUDAD DE FANTASÍA

COMPLETE THIS FANTASY CITY

Can you draw Squirrel and
Acorn's swing buddy?

¿Puedes dibujar al compañero
de columpio de Squirrel y Acorn?

JIM FIELD

What will this house look like?
¿Cómo se verá esta casa?

The chick that hatched is just as beautiful as his momma!

¡La pajarita que salió del cascarón es tan bella como su mamá!

¡Estos perros necesitan un poco de pelo!

These dogs need some fur!

¿Qué hay para cenar?

What's for dinner?

¿Qué está creciendo en las macetas?
What is growing in the pots?

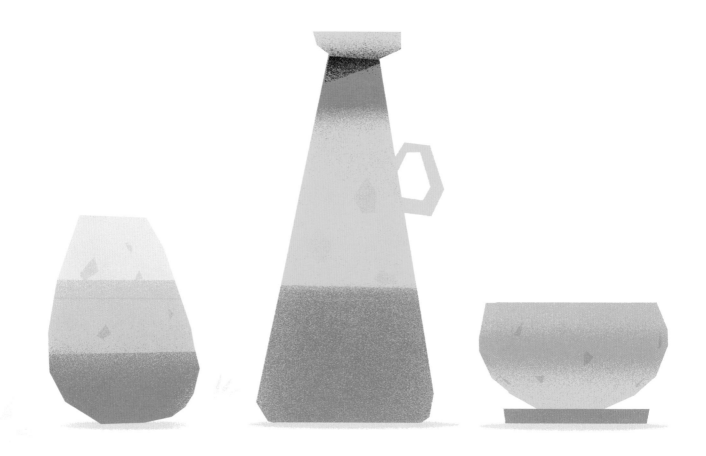

BiSi

A SHOOTING STAR LANDED ON THE BEACH.
WHO DID SHE MEET?

UNA ESTRELLA ATERRIZÓ EN LA PLAYA
¿CON QUIÉN SE ENCONTRÓ?

These animals need some bodies!

¡Estos animales necesitan cuerpos!

Robin Rosenthal

DRAW YOUR FAVOURITE FOOD INTO THE BOWLS / DIBUJA TU COMIDA FAVORITA EN LOS CUENCOS

Where are they flying over?
¿Por dónde están volando?

JENS

Decorate the ants' home.

Decora el hogar de las hormigas.

Build a house in the desert.
Construye una casa en el desierto.

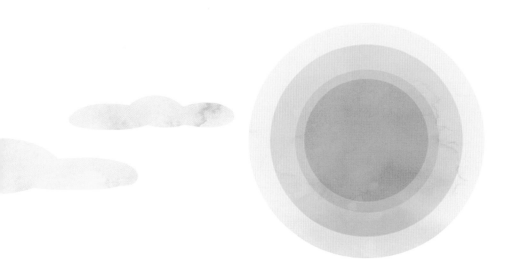

hyojeon

How many
bunnies can you see?

¿Cuántos conejitos ves?

60

What is the dog
DREAMING about?
¿Qué esta
SOÑANDO perro?

Kenard Pak

¿QUIÉN VIAJA EN ESTE TREN?

WHO IS TRAVELING ON THIS TRAIN?

Mis amigos y yo somos increíbles en el skateboarding.
¿Me ayudas a dibujarlos?

My friends and I are awesome at skateboarding.
Can you help me draw them?

-Ido Gondelman-
2018

WHAT DOES THIS STRANGE CREATURE'S HOME LOOK LIKE?

DIBUJA LOS PLANETAS QUE QUIERAS VISITAR.
DRAW PLANETS YOU WANT TO VISIT.

¡CONECTA EL GATO AL OVILLO DE LANA!

CONNECT THE CAT TO THE BALL OF YARN!

Pablo León

69

¿Qué hay al principio de un arco iris?

What is at the beginning of a rainbow?

¿Qué hay al final?

What is at the end?

Make more friends for the birds.

Haz más amigos para los pájaros.

MAKE A MONSTER

HAZ UN MONSTRUO

LA BALLENA SE VA A COMER UN PEZ. ¿CUÁL SERA?
WHAT FISH IS THE WHALE ABOUT TO EAT?

What Kind of Donuts do you like?

WHO ELSE IS AT THE MONSTER TEA PARTY?
¿QUIÉN MÁS ESTÁ EN LA MERIENDA DE MONSTRUOS?

The birds are sunbathing on the beach. What other things are found on the beach?

Los pájaros están tomando el sol en la playa. ¿Qué más cosas hay en la playa?

JORDAN
BRUNER

¿QUIÉN BAILA CON LOS MARIACHIS?

WHO DANCES WITH THE MARIACHIS?

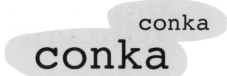

conka
conka

WHIRRRRRRRRRRRRRRRRRR

conka
conka
conka
conka

BLAK

What machines are making all of these sounds?

¿Qué máquinas hacen todos estos sonidos?

dooo da
dooooooo da

ping!
ping!
ping!

BLEEP BLEEP

Who is this Hippo hugging?

¿A quién abraza este Hipopótamo?

COMPLETE THE FACE

COMPLETA LA CARA

 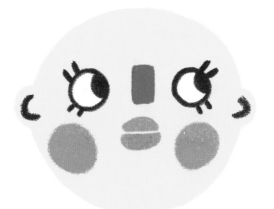

WHAT TYPES OF FLOWERS ARE GROWING IN THEIR GARDEN?

Lissy Marlin

¿QUÉ CLASES DE FLORES ESTÁN CRECIENDO EN SU JARDÍN?

What's in the
strong-man's
hands?

?

¿Qué hay
en las
manos del
fortachón?

CAN YOU FIND OUR TWINS?
¿DÓNDE ESTÁN NUESTROS GEMELOS?

KAT. 2018

Draw what you think the bird would like to eat.

Dibuja lo que crees que le gustaría comer al pájaro.

WHAT DOES THE CAPTAIN SEE?
¿QUÉ VE EL CAPITÁN?

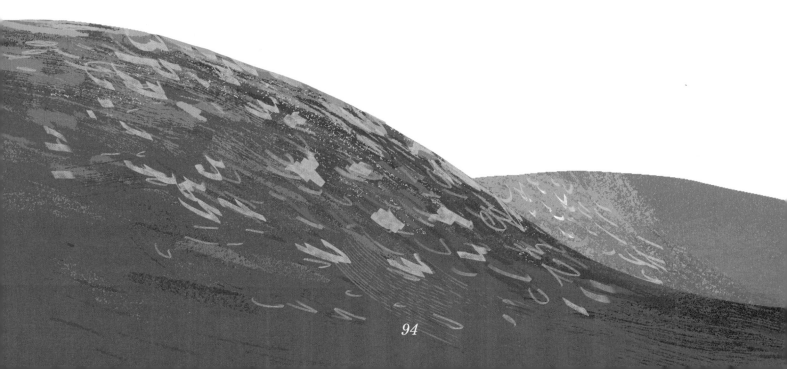

Look! Space creatures!
¡Mira! ¡Criaturas espaciales!

ESTE DRAGÓN NECESITA ALAS PARA VOLAR

THIS DRAGON NEEDS WINGS TO FLY

Bonnie Forsyth

Draw more ballerinas dancing in their flower tutus

¿Qué ropa usan los dinosaurios de moda?

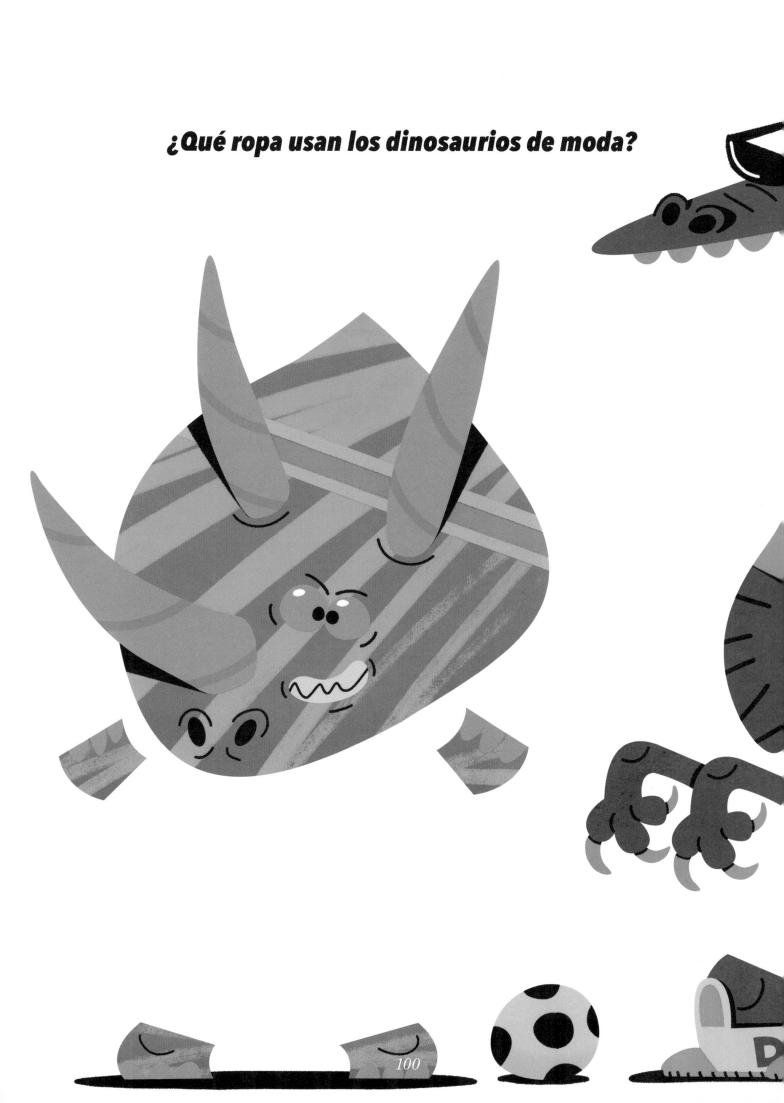

What clothes do cool dinosaurs wear?

What is the cat trying to get ?
¿Què trata de agarrar el gato?

What do you see in the mirror?

¿Qué ves en el espejo?

¿Qué peces hay en el fondo del mar?

Ken Chen

What fish do you find under the sea?

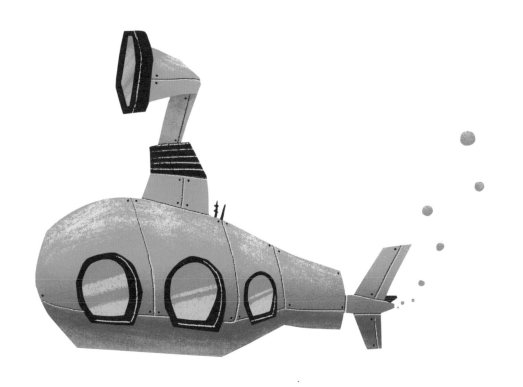

Conecta a la lagartija con su cola.
sin tocar los cactus espinosos.

Connect the lizard with its tail.
Watch out for the prickly cactuses.

¿Qué ve la heroína al final de su viaje?

What does the heroine see at the end of her journey?

GIVE THE FAIRY BIG WINGS.   DALE ALAS GRANDES AL HADA.

What's inside the sandwich?

Bisi

¿Qué hay dentro del sándwich?

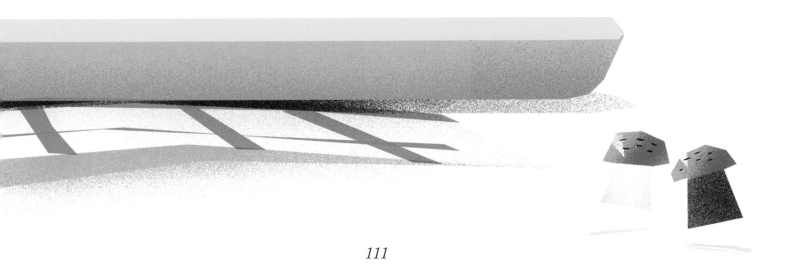

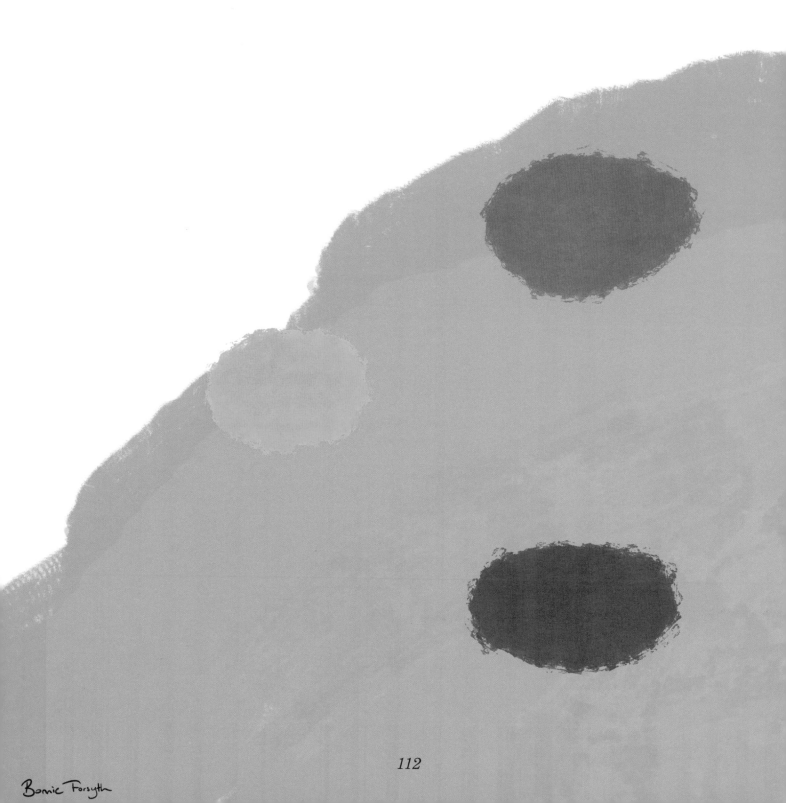

Draw some pretty ponies in the field

Use your
powers to
reveal the
monster
villain!

¡Usa tus
poderes para
poner al
monstruo
al descubierto!

Esta cachorrita de león artista
quiere pintar a su mamá y
a su papá.
¿Le muestras cómo?

This talented lion cub wants to paint her Mum and Dad.

Can you show her how?

STEVE SMALL

Acabas de descubir un
animal fantástico en la selva.

You just discovered a
fantastic animal in the jungle.

Pídele a un amigo o amiga que dibuje un amigo para tu animal.

Ask a friend to draw a friend for your animal.

Diana Leyva

Dibuja una máquina para ayudar a este gato a bajar del árbol

Draw a machine to help this cat get off the tree

MATCH THE UNDERWEAR

EMPAREJA LA ROPA INTERIOR

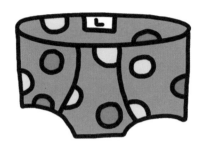

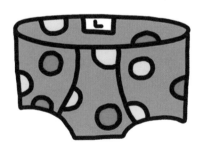

Todd PARR

Who's living in this **cave**?

¿Quién vive en esta **cueva**?

BEAUTY CAN GROW ANYWHERE.
WHAT WILL YOU PLANT?

LA BELLEZA PUEDE CRECER EN CUALQUIER LUGAR. ¿QUÉ VAS A PLANTAR?

Bre Indigo

Draw the bigger cat
Dibuja el gato más grande

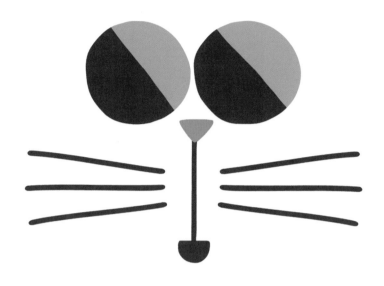

Tim Ruffle.

¡Termina la casa de tus sueños! | Finish your dream home!

What is in the forest?

GLICK

Draw & colour the other wing

Tim Ruffle.

Tom McLaughlin

What shaped clouds can you draw?

¿ Cuántas nubes de formas distintas
puedes dibujar?

WHAT ANIMALS DO YOU FIND WHILE ICE FISHING?

¿QUÉ ANIMALES ENCUENTRAS MIENTRAS PESCAS EN EL HIELO?

Let's draw their footprints

¡Dibujemos sus huellas!

136

What insects have you found?

¿Qué insectos encontraste?

Burcu & Geoffrey

Draw a **SUPERHERO** lifting this car
Dibuja un **SUPERHÉROE** levantando este carro

Tim Ruffle.

BUILD YOUR DREAM HOUSE!

¡CONSTRUYE LA CASA DE TUS SUEÑOS!

I love to juggle. Can you draw some fun things I can juggle?

Me encanta hacer malabares.
¿Puedes dibujar algunas cosas divertidas con las que pueda hacer malabares?

What landmarks did you encounter
on your treasure hunt?

CAN YOU GIVE THESE GUYS SOME HAIR?

¿PUEDES PONERLES PELO A ESTOS TIPOS?

Christine Le

Add some flowers
to the vases!

¡Agrega algunas flores
a los jarrones!

JT

Draw what the submarine has discovered
on its deep sea exploration.

Dibuja lo que descubrió el submarino
al explorar el fondo del mar.

DANCE PARTY

Find these crazy critters at the dance party!
¿Puedes encontrar estos animalitos locos en la fiesta?

Dragones con aliento picante	2	Dragons with spicy breath
Gallinas	6	Chickens
Gnomos	10	Gnomes
Patos	3	Ducks
Gatos	4	Cats
Ranas	12	Frogs
Conejo que canta	1	Singing Rabbit
Cíclope con la mano en alto	1	High fiving cyclopes
Osos	3	Bears
Pepino que baila	1	Dancing pickle
Cerditos	3	Little pigs

Tons of other fun stuff!!!!
¡Y muchísimas mas cosas divertidas!

Dan & Jason

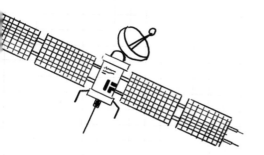

dibuja las
estrellas

●

Draw The
Stars

155

h.

What animals live in this field?
¿Qué animales viven en este campo?

This clown needs a hair do!

¡Este payaso necesita un peluquín!

BOLAN

If you lived in the Stone Age,
what would you draw on your cave walls?

Si vivieras en la Edad de Piedra,
¿qué dibujarías en las paredes de tu cueva?

Jeffrey
Brown

What's for dinner?

¿Qué hay para cenar?

R.PHILLIPS

Peter Sluzgfsa

DRAW YOUR OWN plants and animals!

¡Dibuja tus plantas y animales preferidos!

What do the astronauts look like?　¿Qué aspecto tienen los astronautas?

DRAW SOME FRIENDS FOR THE DINOSAUR!
DIBUJA ALGUNOS AMIGOS PARA EL DINOSAURIO!

Dijuba otros amigos del espacio para el astronauta.

Draw some more interstellar friends for the astronaut.

PUT ON YOUR BEST SHOW!
¡MONTA TU MEJOR ESPECTÁCULO!

WHAT IS HATCHING FROM THE EGG?
¿QUÉ ESTÁ SALIENDO DEL CASCARÓN?

Christine Le

¿QUÉ VES?

¡Completa las marcas
de la jirafa!

Fill in the
giraffe's pattern!

Who is the astronaut waving to?
¿A quién está saludando el astronauta?

CONTRIBUTING ARTISTS

Adrian Sinnott, p.167
Ana Chang, p.108
Andrew Hall, p.24, 144
Asia Adamshick, p.15
Ben Hibon, p.115, 140
Benjamin Kalaszi, p.142/143
Benjamin Woodlock, p.103
Bre Indigo, p.124/125
Burcu & Geoffrey, p.138
Carlos Stevens, p.127
Celeste Potter, p.28/29, 134
Chris Haughton, p.38/39
Christian Robinson, p.6
Christine Le, p.148/149, 169
Cristina Barna, p.146/147, 172
Dan & Jason, p.152/153
Danny Capozzi, p.40/41
David Catrow, p.44/45
Denny Khurniawan, p.34/35
Dez Stavracos, p.165
Eamonn O'Neill, p.135
EJ Kang, p.18/19
Erika Bird, p.46/47
Eunhae Yoo, p.170/171
Eunice Kim, p.48/49
Ewen Stenhouse, p.36
Giovana Pham, p.37
Hazel Baird, p.8/9
Henry Chang & Max Strizich, p.154/155

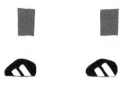

Henry de Leon, p.20, 26/27
Hyejung Bae, p.166
Hyoyeon Lee, p.56/57, 58/59, 72/73
Ido Gondelman, p.64/65
Isabel Garcia, p.66/67
Jacob Grant, p.86
Javier Jaen, p.62/63
Jeff Han, p.68, 75
Jeffrey Brown, p.158/159
Jens Gehlhaar, p.55
Jie Zhou, p.76/77
Jim Field, p.42
Jimmy Thompson, p.150
Jonathan Edwards, p.78/79
Jordan Bruner, p.80/81
Jorge Gutiérrez, p.82/83
Karin Fong, p.70/71, 84/85
Kat Leuzinger, p.60, 91
Kenard Pak, p.61
Lance Slaton, p.173
Lindsay Bohn, p.156
Lisa Bolan, p.157
Lisha Tan, p.74, 87
Lissy Marlin, p.88/89
Magdalena Osinka, p.31
Margherita Premuroso, p.94/95
Maroto Bambinomonkey, p.54
Marta Pombo, p.97

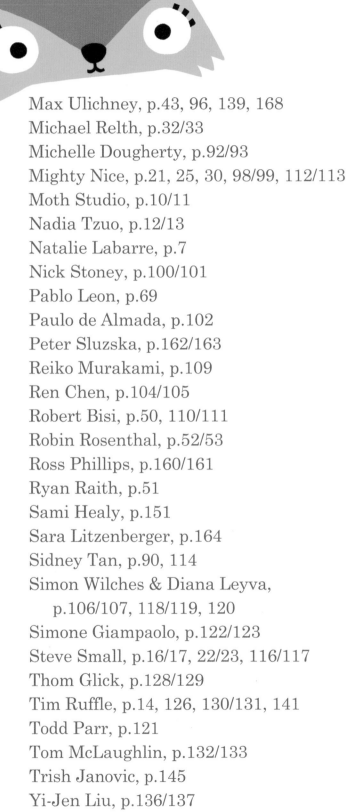

Max Ulichney, p.43, 96, 139, 168
Michael Relth, p.32/33
Michelle Dougherty, p.92/93
Mighty Nice, p.21, 25, 30, 98/99, 112/113
Moth Studio, p.10/11
Nadia Tzuo, p.12/13
Natalie Labarre, p.7
Nick Stoney, p.100/101
Pablo Leon, p.69
Paulo de Almada, p.102
Peter Sluzska, p.162/163
Reiko Murakami, p.109
Ren Chen, p.104/105
Robert Bisi, p.50, 110/111
Robin Rosenthal, p.52/53
Ross Phillips, p.160/161
Ryan Raith, p.51
Sami Healy, p.151
Sara Litzenberger, p.164
Sidney Tan, p.90, 114
Simon Wilches & Diana Leyva,
    p.106/107, 118/119, 120
Simone Giampaolo, p.122/123
Steve Small, p.16/17, 22/23, 116/117
Thom Glick, p.128/129
Tim Ruffle, p.14, 126, 130/131, 141
Todd Parr, p.121
Tom McLaughlin, p.132/133
Trish Janovic, p.145
Yi-Jen Liu, p.136/137

THANKS!

I'm truly blessed that every day I get to work with the most talented artists, producers, and colleagues one could hope for. So when presented with the crisis at the border, I turned to those same individuals for help. I felt that there was a community that could use their talents to help us heal both as individuals and a society. I put an idea out there, and I was overwhelmed by the response. The more people I told about the project, the more people they told. And soon I began to receive emails from artists around the world, people I had never met, asking if they could contribute. I knew that this book could be a source of comfort for families immediately affected by the border crisis. And a source of empathy and compassion for so many more.

For every artist that contributed a page, there's a family of others that connected us, supported us and made this all possible. For each and every one... I'm eternally grateful.

¡GRACIAS!

Todos los días tengo la bendición de poder trabajar con artistas, productores y colegas que tienen mas talento del que podría haber soñado. Así que cuando se presentó la crisis en la frontera, acudí a ellos en busca de ayuda. Sentí que había una comunidad que podía usar su talento para ayudarnos a sanar no solo individualmente, sino como comunidad. Presenté una idea, y la respuesta me ha dejado inundada. Yo les hablaba a las personas del proyecto y ellas, a su vez, se lo decían a tantas personas mas. Al poco tiempo empecé a recibir correos electrónicos de artistas de alrededor del mundo, personas que nunca conocí, preguntando si podían aportar al proyecto. Yo sabía que este libro podía ser una fuente de consuelo para las familias directamente afectadas por la crisis de la frontera, y una fuente de empatía y compasión para tantos mas.

Por cada artista que aportó una página, hay toda una familia de otros que se conectaron con nosotros, nos apoyaron, e hicieron de todo esto una realidad. Mi eterno agradecimiento a todos y cada uno de ellos.

— JENNIFER SOFIO HALL

Andrew Hall
Linda Carlson
Angus Wall
Bedonna Smith
Steve Golin
Alfonso Cuarón
Gabriela Rodriguez
Ai-jen Poo
Sandra Cordero
Erica Sagrans
Kristina Apgar
Araceli Gutierrez
Vanessa Fernandez
Felicia Martinez
David Kuhn
Howie Sanders
Kassie Evashevski
Rex Ogle
Will Lippincott
Michael Feder
Hana Shimizu
Nicole Tocco
Riley Spencer
Patricia Claire
Kori Rae
Deirdre McDermott
Ben Kalina
Junie Burns
Anders Beer

Nikki Kefford-White
Sharon Titmarsh
Philip Hunt
Gregory Plec
Michael Worthington
Jeff Baker
Kate Goodwin
Michael Adamo
Stephanie Wu
Christian Rankin
Belinda Blacklock
Dotti Sinnott
Donat Aron Ertsey
Neysa Horsburgh
Amanda Miller
Elizabeth Newman
Holly Dyroff
Bethan Horton
Anna Zhang
Gayley Avery
Vivian Naranjo
Tracy Tran
Andy Arkin
Genevieve Silburn
Heather Wright
Miki Panteepo
Chris Mitchell
Adina Sales
Krista Templeton

Sara Greene
Alex Unick
Melissa de la Cruz
Andy McKenna
Jenny Bright
Kim Christensen
Kate Berry
Jordan Freedman
Megan Bettor
Max Ulichney
Henry de Leon
Yelim Lee
Jose Limon
Beth Hagen
Mark Lipson
Paolo de Guzman
Bob Wallerstein
Javier Leon
Steph Wheeler
Charlotte Bavasso
Christina Roldan
Will Johnson
Ryan McGilloway
Ben Zhu
Wendi Gu
Tony Manzella
Chelo Alvarez-Stehle
Elisa Cabal
Stacy Endress

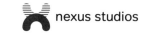

This publication © National Domestic Workers Alliance
ISBN-13: 978-0-692-19730-1